D0295378

De cavia

Redactie Over Dieren

De cavia

Voeding, verzorging, aanschaf, huisvesting,
voortplanting, gezondheid en nog veel meer

In de Over Dieren-serie zijn eveneens verschenen:
De Berner sennenhond
De Jack Russell terriër
De Labrador retriever
De Dalmatische hond
Medisch ABC voor de hond
Als een huisdier doodgaat
De chinchilla
De boeroendoek of Aziatische grondeekhoorn
De dwerghamster
Het dwergkonijn
De tamme rat
De hamster

Foto's: Dick Hamer, Rob Doolaard en Rob Dekker

Eerste druk 1998
© Welzo Media Productions
  Postbus 26
  9989 ZG Warffum

Opmaak: IR Communications, Vaals
Druk: Drukkerij Bariet, Ruinen

ISBN 90-5821-009-X
NUGI 410

Inhoud

Algemeen

De cavia is één van de meest populaire huisdieren voor kinderen, maar ook volwassenen kunnen veel plezier beleven aan het houden en fokken van dit diertje. Cavia's zijn uitermate vriendelijke dieren en zelden agressief. Een bijtende cavia is dan ook een grote uitzondering. Bovendien hebben ze een geschikt formaat: niet te groot (dus ook voor kinderen goed te hanteren) en niet te klein (dus ook bestand tegen overenthousiaste kinderhandjes).

Een cavia is een huisdier dat geen extreme eisen stelt. Toch moeten er bij de verzorging een aantal regels in acht worden genomen om problemen voor te zijn. Vooral de voeding luistert nauw: een niet goed uitgebalanceerd dieet kan een cavia snel en ernstig ziek maken.

Oorsprong

Lang voordat de Spanjaarden Zuid-Amerika veroverden werd de cavia in Peru en Chili al als huisdier gehouden. De Inca's fokten cavia's hoofdzakelijk voor hun vlees en bont. Het vlees (dat als speenvarken schijnt te smaken) gold als een bijzondere lekkernij en werd gegeten op feest- en hoogtijdagen.
De dieren hebben waarschijnlijk ook een rol gespeeld in de religieuze ceremonieën van dit hoogontwikkelde volk: in graven van de Inca's zijn gemummificeerde cavia's aangetroffen.

De cavia werd aan het eind van de zestiende eeuw door Spaanse ontdekkingsreizigers en Hollandse zeevaarders via Guinea (Afrikaanse westkust) naar Europa meegenomen, vermoedelijk als bron van vers vlees. Een aantal diertjes overleefde de braadpan en kwam levend in Europa aan. Toch was de cavia daar al voor die tijd bekend, want hij is door de Zwitserse bioloog Gessner al in 1533 beschreven en afgebeeld.

Het zou nog lang duren voordat de cavia het alom populaire huisdiertje werd dat hij tegenwoordig is. Toch werden al in 1680 cavia's uit Nederland naar Frankrijk en Engeland verkocht. Aanvankelijk waren ze zó duur dat alleen rijke mensen ze als curiositeit en speelgoed voor hun kinderen konden aanschaffen. Vooral in Engeland hebben liefhebbers ervoor geijverd cavia's meer bekendheid te geven, maar het zou nog tot na de Tweede Wereldoorlog duren voordat ze echt populair werden.

Een bijverschijnsel was dat ze steeds vaker als proefdieren in laboratoria werden gebruikt. Zo hebben cavia's een belangrijke rol gespeeld bij de bestrijding van tuberculose en de ontwikkeling van een serum tegen difterie.

In het wild

In Zuid-Amerika leven nog talrijke caviasoorten (en cavia-achtigen) in de vrije natuur. Ze behoren tot de orde der knaagdieren *(Rodentia)*. Knaagdieren vormen de grootste groep zoogdieren: van alle zoogdieren ter wereld is meer dan de helft een knaagdier. De orde der knaagdieren bestaat uit meer dan driehonderd geslachten en bijna drieduizend soorten. In het schema op de pagina hiernaast is te zien welke plaats de cavia-achtigen innemen tussen de andere zoogdieren.

De cavia-achtigen die voorkomen in het wild verschillen nogal wat betreft gewicht en formaat: de kleinste wegen zo'n tweehonderd gram, de grootste wel zeventig kilo. In lengte variëren ze van 15 tot 130 centimeter. Toch hebben ze allemaal enkele gemeenschappelijke kenmerken. De kop is naar verhouding groot. Aan de voorpoten hebben ze vier tenen, aan de achterpoten drie, met in verhouding brede, kromme nagels. Allemaal zijn het teengangers met veel overeenkomsten in de manier van lopen.

In tegenstelling tot andere knaagdieren kunnen gewone cavia's niet klimmen en op hun achterpoten staan. Ook gebruiken ze hun voorpoten niet om het voedsel vast te houden. In hun natuurlijk leefgebied zijn cavia's niet zeldzaam. Ze hebben nauwelijks economische waarde voor de mens en worden daarom niet op grote schaal bejaagd. De meest voorkomende soort is de wilde cavia *(Cavia aperea)*. Sommige kenners zijn van mening dat onze 'tamme' cavia hiervan afstamt, maar anderen geven die eer aan de Tschudi-cavia *(Cavia aperea tschudi)*. In het hoofdstuk 'Bijzondere cavia's' leest u meer over deze wilde variëteiten.

Rijk — Dierenrijk
(Regnum animale)

Super-klasse — Ongewervelde dieren *(Evertebrata)* — Gewervelde dieren *(Vertebrata)*

Klasse — Sponzen *(Porifera)* — Eencelligen *(Protocoa)* — Zoogdieren *(Mammalia)* — Vissen *(Pisces)* — Amfibiën *(Amfibia)* — Reptielen *(Reptilia)* — Vogels *(Aves)*

Orde — Buideldieren *(Marsupialia)* — Roofdieren *(Carnivora)* — Primaten *(Primates)* — Walvisachtigen *(Catecae)* — Knaagdieren *(Rodentia)* — Haasachtigen *(Lagomorpha)*

Sub-orde — Eekhoornachtigen *(Sciuromorpha)* — Muisachtigen *(Myomorpha)* — Stekelvarkenachtigen *(Hystricomorpha)* — Cavia-achtigen *(Caviomorpha)*

Super-familie — Schijnratten *(Octodontoidea)* — Hutia's *(Capromyidea)* — Cavia-achtigen *(Cavioidea)* — Beverratten *(Myocastoridea)* — Chinchilla's *(Chinchilloidea)*

Familie — Cavia's *(Caviidae)* — Capybara's *(Hydrochoeridae)* — Agouti's *(Dasyprocidae)*

Onder-familie — Echte Cavia's *(Caviinae)* — Mara's *(Dolichotinae)* — Capybara's *(Hydrochoerus)* — Paca's *(Cuniculinae)* — Echte Agouti's *(Dasyproctinae)*

Geslacht — Cavia — Galea — Microcavia — Kerodon — Dasyprocta — Myoprocta

Soort — Cavia *(Cavia aperea)* — Wezelcavia *(G. musteloides)* — Dwergcavia *(M. australis)* — Rotscavia *(K. rupestris)* — Goudhaas *(D. aguti)* — Achouchi *(M. achouchi)*

Onder-soort — Tschudicavia *(C. a. tschudi)*

Tamme cavia *(C. a. porcellus)*

Soort — Amazonecavia *(C. fulgida)*

Soort — Peruviaanse cavia *(C. stolida)*

Spraakverwarring

De tamme cavia staat bekend onder veel verschillende benamingen. Zo wordt hij vaak marmot genoemd. Een marmot heeft echter geen enkele verwantschap met een cavia. Hij is veel groter, heeft een staart van vijftien centimeter en behoort tot de familie der eekhoornachtigen. Het woord marmot is waarschijnlijk een oud-dialectische vertaling van de Duitse naam Meerschweinchen. Mar betekent namelijk 'meer' of 'zee' en mot is een verouderd woord voor 'varken' of 'big'. In Engeland wordt de cavia guineapig genoemd (Guinees biggetje), in Frankrijk cochon d'Inde (Indiaans varkentje).

In alle buitenlandse namen zit echter 'varken' of 'big', terwijl overal een mannelijke cavia beer wordt genoemd en een vrouwtje zeug (zoals bij varkens). Al deze verschillende benamingen kunnen echter alleen maar voor verwarring zorgen: de enige juiste naam is en blijft cavia!

Dit zijn echte marmotten. Zij hebben geen verwantschap met cavia's!

Aanschaf

Een huisdier aanschaffen is niet hetzelfde als het kopen van een stuk speelgoed of een kilo suiker. Een dier is een levend wezen waar we goed en verantwoord mee om moeten gaan. Het maakt dan ook niet uit of we een hond, een kat, een goudvis of een cavia kopen: al onze huisdieren zijn van ons afhankelijk. Als wij ze niet goed verzorgen worden ze ziek en als wij ze niet goed huisvesten verkommeren ze of ontsnappen ze, om in vrijheid vaak jammerlijk aan hun eind te komen. De verzorging van het ene dier kost weliswaar (veel) meer tijd dan van het andere, maar verzorgen is in alle gevallen iets wat **elke dag** moet gebeuren.

Wanneer u overweegt een huisdier aan te schaffen, moet u zich vooraf goed (laten) informeren. Is het betreffende dier geschikt voor uw gezinssituatie? Hoe intensief is de verzorging en heeft u daar voldoende tijd voor, ook over een langere periode? Wat moet het dier eten, wat voor verblijf heeft het nodig, leeft het alleen of liever in een paartje of een groep? Hoeveel gaan de aanschaf en de verzorging (inclusief dierenarts) u kosten en heeft u dat geld ervoor over? Deze en andere vragen kunt u, om teleurstellingen achteraf te voorkomen, het best vóór eventuele aanschaf beantwoorden. Wanneer u twijfelt, schaf het dier dan niet aan! Voordat u een cavia mee naar huis neemt, moet u zeker weten dat u een geschikt onderkomen voor het dier in huis heeft. Een knaagdier kunt u immers niet in een kartonnen doosje houden.

Wanneer u de cavia voor een kind wilt aanschaffen, is het belangrijk om vooraf goede afspraken te maken over wie het dier moet voederen en het verblijf moet verschonen. De praktijk wijst uit dat kinderen in hun enthousiasme vaak veel beloven, maar deze beloften niet altijd op langere termijn nakomen.

U moet er rekening mee houden dat een huisdier ook in vakanties en tijdens uitstapjes verzorging nodig heeft. Dat is trouwens ook het geval als u na een lange werkdag moe thuiskomt. Al met al verschaft het verantwoord houden van een huisdier meestal veel plezier: het is als het ware een stukje natuur in huis. En cavia's zijn bij uitstek geschikt als huisdier. Ze zijn rustig en zullen eigenlijk nooit bijten of krabben. Dit maakt hen ook tot prettig gezelschap voor kinderen. Door hun robuuste postuur zijn ze zelfs geschikt voor wat jongere kinderen: ze zijn goed bestand tegen peuterhandjes.

Eén of meer

Cavia's zijn van nature groeps- of familiedieren. Daarom voelen ze zich prettiger in gezelschap van soortgenoten. U kunt een cavia heel goed in zijn eentje houden, maar dan moet u hem wel voldoende aandacht geven. Als hij die niet krijgt zal hij langzaam maar zeker verpieteren.

Een cavia kan heel goed samenleven met een klein of middelgroot konijn. Zet echter niet meerdere volwassen mannetjes bij elkaar in één verblijf. Zij zullen elkaar niet accepteren.

Waar kopen

De meeste cavia's worden verkocht via de dierenspeciaalzaak. Over het algemeen weten dierenspeciaalzaakhouders goed hoe ze met dieren moeten omgaan en houden ze van de dieren die ze verkopen. Helaas zijn er nog altijd minder goede zaken. Vaak kunt u aan de winkel al zien wat voor vlees u in de kuip hebt. Zijn de verblijven schoon? Hebben alle dieren schoon water? Zien ze er vitaal en gezond uit? Belangrijk is ook of u voldoende, eerlijke informatie krijgt over het dier.

De meeste dierenspeciaalzaken betrekken hun cavia's bij liefhebbers of serieuze fokkers. Zij proberen vaak voor tentoonstellingen 'perfecte' dieren te fokken. Voldoen de cavia's niet helemaal aan de strenge keuringseisen, dan worden ze op jonge leeftijd geselecteerd en verkocht. Deze dieren zijn meestal kerngezond, maar hebben niet helemaal de juiste kleurschakering of een rozetje op de verkeerde plaats.

Helaas bestaat er ook nog een ander slag fokker. Deze mensen proberen zoveel mogelijk dieren te fokken om zo snel mogelijk rijk te worden. Ze hebben daarbij geen oog voor het welzijn van het dier en letten niet op hygiëne of inteelt. Bovendien worden de jongen vaak al van de moeder gescheiden voordat ze sterk genoeg zijn. Zoekt u een goede fokker, neem dan contact op met uw plaatselijke kleindiersportvereniging.

Een cavia kunt u ook aanschaffen op één van de vele dierenshows die vooral in de herfst en de winter worden gehouden. Zo'n show is trouwens ook een bezoekje waard als u geen cavia zoekt!

Waarop letten

Wanneer u een cavia gaat kopen, moet u op de volgende punten letten:
- Het dier moet gezond zijn. Een gezonde cavia kijkt helder uit zijn schone oogjes en is levendig. De geslachtsdelen moeten schoon zijn, het dier mag geen wondjes, rare bultjes, schilfers of korsten hebben. Neusje, oren en lippen moeten schoon en droog zijn, zonder korsten. De vacht moet glad en glanzend zijn (dit geldt niet voor borstelhaar-cavia's!).

- De cavia moet goed doorvoed zijn, maar niet moddervet. Hij moet stevig aanvoelen en mag geen hoge rug of ingevallen flanken hebben.

- Let goed op de ademhaling. Een piepende of reutelende ademhaling kan op een infectie wijzen. De keutels moeten droog en hard zijn. Natte, zachte keutels kunnen een teken zijn van darminfectie.

- De cavia mag niet te jong of te klein zijn. Tijdens de eerste weken van zijn leven krijgt het jong via de moedermelk afweerstoffen binnen, die het heel hard nodig heeft. Vraag de verkoper naar de leeftijd van het dier. Koop nooit een cavia die jonger is dan vijf weken of veel te licht voor zijn leeftijd!

- De cavia moet ook niet te oud zijn. Oudere dieren gaan natuurlijk eerder dood, maar wennen ook minder gemakkelijk aan hun nieuwe omgeving. Oudere dieren kunt u herkennen aan hun pels. Die is minder glanzend en heeft soms kale plekjes.

- Kijk ook goed naar de andere dieren die het verblijf delen met het exemplaar van uw keuze. Ook al lijkt de cavia die u wilt kopen gezond, als zijn medebewoners ziek zijn kan ook uw nieuwe aanwinst iets onder de leden hebben.

- Controleer of de cavia ook werkelijk het geslacht heeft dat de verkoper beweert. Er worden daarmee nogal wat vergissingen gemaakt: vaak blijken twee vrouwtjes later toch ineens jongen te hebben. Volwassen beren zijn te herkennen aan de teelballen. Bij jonge dieren kan een ervaren fokker of liefhebber de penis voorzichtig naar buiten drukken.

Schaf nooit een huisdier aan op een dierenmarkt zoals de Vogeltjesmarkt in Antwerpen. Juist hier proberen 'broodfokkers' u te verleiden met de aanblik van hun zielige diertjes in veel te kleine hokjes, hunkerend naar een beter bestaan. Geef niet toe aan die verleiding: door zo'n diertje aan te schaffen houdt u deze verwerpelijke industrie in stand. Omdat hun enige drijfveer geldelijk gewin is, zullen de handelaars pas ophouden als ze er geen cent meer mee verdienen.

Transport

Wanneer u een cavia koopt of krijgt, moet het diertje mee naar huis. In veel gevallen gebeurt dat in een kartonnen doosje. Dit is niet de meest geschikte oplossing. Het zal niet de eerste (en ook niet de laatste) keer zijn dat een cavia een gat in zo'n doosje knaagt en op ontdekkingsreis gaat in de boodschappentas of de auto.

Het is daarom beter vooraf een transportbakje aan te schaffen. Ze zijn verkrijgbaar bij elke dierenspeciaalzaak. Zorg voor voldoende bescherming en beschutting, maar zeker ook voor ventilatie! Laat het transportbakje met de cavia nooit achter in een auto die in de zon staat: de hoog oplopende temperatuur kan het diertje fataal worden.

Voeding

Knaagdieren kregen jarenlang dag in dag uit hetzelfde voorgeschoteld: gemengd knaagdierenvoer. Uit onderzoek naar de voedingsgewoontes van knaagdieren in de vrije natuur is gebleken dat ze over het algemeen een heel andere, meer afwisselende voedingsbehoefte hebben.

Vitamine C

Zoals gezegd luistert de voeding van een cavia nogal nauw. Wie zijn cavia namelijk elke dag alleen gemengd knaagdierenvoer geeft, kan er zeker van zijn dat het diertje ziek wordt. Net als mensen en apen kan een cavia vitamine C niet zelf in het lichaam aanmaken. Hij moet dat dus elke dag via zijn voedsel binnenkrijgen. Een volwassen cavia heeft per dag ongeveer 20 mg vitamine C nodig om gezond te blijven. Voor opgroeiende en drachtige cavia's moet dat zelfs het dubbele zijn (40 mg). Een tekort aan vitamine C openbaart zich door de sterfte van jongen, darmproblemen, groeistoornissen, verminderde vruchtbaarheid en regelmatige verkoudheid.

Er zijn verschillende mogelijkheden om aan de zo belangrijke behoefte aan vitamine C te voldoen. De meest natuurlijke manier is het verstrekken van vers groenvoer met een hoog gehalte aan vitamine C. Maar dat mag u dan ook geen dag overslaan!

Om het risico uit te sluiten dat u het verse groenvoer vergeet te geven, kunt u beter een voer uitzoeken dat voldoende vitamine C bevat. Gemengd knaagdierenvoer, konijnenvoer of andere, willekeurige graanmengsels bevatten onvoldoende of zelfs helemaal geen vitamine C. In bijgaande tabel vindt u een overzicht van bekende merken caviavoeders. Bedenk hierbij wel dat de vitamine C meestal in de geperste (gras)korrels is verwerkt. Wanneer u uw cavia te veel voer geeft, zal hij alleen opeten wat hij het lekkerst vindt en de rest laten liggen. Dit kunnen soms juist de zo belangrijke vitaminekorrels zijn. Geef een cavia daarom pas weer eten als hij zijn bakje helemaal leeg heeft.

Caviavoeders met vitamine C		
Merk	**Fabrikant**	**Vitamine C**
Crispy C	Versale Laga	200 mg/kg
Gerty Guinea Pig	Supreme Petfoods	250 mg/kg
Evert Cavia	Puik	300 mg/kg
Countryline Cavia	Witte Molen	400 mg/kg
Superieur	Teurlings	1000 mg/kg
TK 100	Teurlings	3000 mg/kg
Super C.C.	Hope Farms	3000 mg/kg

Droogvoer

Droogvoer is een verzamelnaam voor alle voer dat niet vers is: losse graansoorten, gemengd graan met graskorrels en kant-en-klare pellets. Bij voederhandels kan men maïs, graan, gerst, haver, gierst en diverse zaden kopen. Het loont echter niet de moeite om zelf het voer voor uw cavia samen te stellen. Bovendien bevatten bovenstaande ingrediënten geen vitamine C. De kant-en-klaar verkrijgbare gemengde granen voor cavia's bevatten wel alle noodzakelijke bestanddelen voor een uitgebalanceerde voeding. Aan deze gemengde voeders zijn ook geperste graskorrels toegevoegd. De ervaring leert echter dat cavia's deze korrels het laatst opeten. Het is daarom van belang dat ze precies zoveel voer krijgen dat ze alles in één dag opeten. Geef pas nieuw voer als het bakje leeg is.

Er zijn ook kant-en-klare korrels in de handel. Deze korrels zijn allemaal identiek van samenstelling. Ze bevatten alle noodzakelijke voedingsstoffen en zorgen dus voor een perfecte voeding, zonder dat er groenvoer gezocht en gewassen moet worden. Deze korrels worden dan ook vaak op grote fokkerijen gegeven. Afgezien van het gebruiksgemak moet het voor een cavia tamelijk saai zijn elke dag hetzelfde te moeten eten.

Zaden en granen hebben een hoge voedingswaarde. Een cavia die te veel gemengde granen en te weinig groenvoer en beweging krijgt, kan al snel dik worden. Het is dan zaak minder voer te geven en de cavia meer te laten bewegen.

Welke voedingsvorm u ook kiest, let altijd op de fabricagedatum van het voer. Voer dat meer dan drie maanden oud is verliest namelijk een groot deel van de voedingswaarde.

Groenvoer

Cavia's in de vrije natuur eten meer groen dan graan. Daarom moet groenvoer ook voor huiscavia's een belangrijk deel van het menu uitmaken. Onder groenvoer verstaan we al het verse voedsel dat geschikt is voor cavia's. Deze lijst is bijna onuitputtelijk. Het spreekt vanzelf dat u bij de geringste twijfel beter geen risico kunt nemen: geef liever iets waarvan u zeker weet dat een cavia het kan eten.

Veldkruiden vindt u in bossen en weilanden. Langs autowegen en in gebieden met zware industrie kunt u beter geen groen plukken voor uw huisdieren. De planten zijn hier hoogstwaarschijnlijk vervuild met lood en andere giftige stoffen. Ook landbouwgebieden kunt u beter overslaan, in verband met bestrijdingsmiddelen. Om elk risico te vermijden moet u alle groenvoer grondig wassen. Laat het daarna goed uitlekken en een beetje drogen.

U kunt uw cavia's vrijwel alle fruit- en groentesoorten geven. Wel kunnen de meeste koolsoorten voor maagproblemen zorgen. Kassla bevat veel nitraat. Geef kool en sla daarom slechts in kleine hoeveelheden.

Vitamine C in groente en fruit (mg per 100 gr)	
Wortel	5 mg
Andijvie	10 mg
Appel	10 mg
Tomaat	20 mg
Bleekselderij	25 mg
Sinaasappel	50 mg
Bloemkool	75 mg
Broccoli	110 mg
Witlof	115 mg
Boerenkool	125 mg
Spruitjes	150 mg
Paprika	150 mg
Peterselie	170 mg
Rozenbottels	500 mg

Bijgaande tabel geeft een overzicht van een aantal groente- en fruitsoorten met de hoeveelheid vitamine C die ze per honderd gram bevatten.

Hooi

Hooi is een belangrijk bestanddeel van gezonde caviavoeding, hoewel het weinig voedingswaarde bezit. Voor een goede spijsvertering is het echter onmisbaar! Een cavia moet dagelijks over vers hooi kunnen beschikken. Naast de zo belangrijke ballaststoffen bevat het calcium en magnesium. Hooi kan men per baal kopen bij een boer of een voederhandel, in kleinere verpakkingen bij de dierenspeciaalzaak.
Goed, vers hooi bevat jong gras, klaver en kruiden. Het is droog, maar toch nog een beetje groen en ruikt heerlijk. Hooi van slechte kwaliteit bevat vrijwel geen kruiden, omdat het vaak van verwaarloosde weidegrond wordt gehooid. Oud hooi kunt u herkennen aan de gelige kleur. Ook stuift het nogal. Dit stof is bijzonder schadelijk voor de luchtwegen van uw dieren. Bovendien bevat oud hooi geen voedingsstoffen meer.

Water

Het is een fabeltje dat cavia's weinig drinken. Ook wanneer u in ruime mate groenvoer geeft is toch elke dag vers water nodig. Geef het water bij voorkeur op kamertemperatuur, in een drinkfles. Let er wel op dat zich in de fles geen algen vormen. Die kunnen namelijk giftig zijn.
U moet de drinkfles regelmatig schoonmaken. Soms hebben cavia's de gewoonte om met een bek vol korrels uit de fles te drinken. Hierdoor kan hij vies worden en/of verstopt raken. Controleer en ververs de drinkfles dus elke dag.

Vitaminen en mineralen

Bij een goed uitgebalanceerde voeding hoeft u geen aanvullende preparaten aan het drinkwater toe te voegen. Zieke dieren en drachtige of zogende vrouwtjes hebben echter wel extra vitamine C nodig. U kunt dit toedienen in de vorm van 50mg tabletjes. De meeste cavia's vinden ze zo lekker dat ze ze graag uit uw hand aannemen. Gebruik de tabletjes niet als snoepjes: ook een teveel aan vitamine C kan schadelijk zijn!

U kunt ook een zogeheten zoutsteen of liksteen in het verblijf aanbrengen. Bij een tekort aan zout of mineralen zullen cavia's hier uit zichzelf aan gaan likken.

Knabbels en extraatjes

Een cavia is een echt knaagdier. Om zijn knaagtanden in goede conditie te houden is het dan ook belangrijk dat hij wat te knagen heeft. In de dierenspeciaalzaak zijn diverse knabbeltjes te koop. Ook kunt u jonge takken en twijgen zoeken, van bijvoorbeeld wilg-, fruit- of andere loofbomen. Een harde, droge snee brood of een stukje knäckebröd zijn eveneens geschikte knabbeltjes.

Denk bij extraatjes niet aan chips, koek, snoep of suikerklontjes. Die dingen zijn heel ongezond voor huisdieren, omdat ze te veel zout, suiker en vet bevatten. Er zijn genoeg gezonde lekkernijen waarmee u een cavia een plezier kunt doen. Natuurlijk heeft niet elk dier dezelfde smaak, dus zal de ene cavia iets lekker vinden en de andere niet. Hoge ogen gooit u meestal wel met peterselie, witlof, wortelloof, rozenbottels en kiwi's.

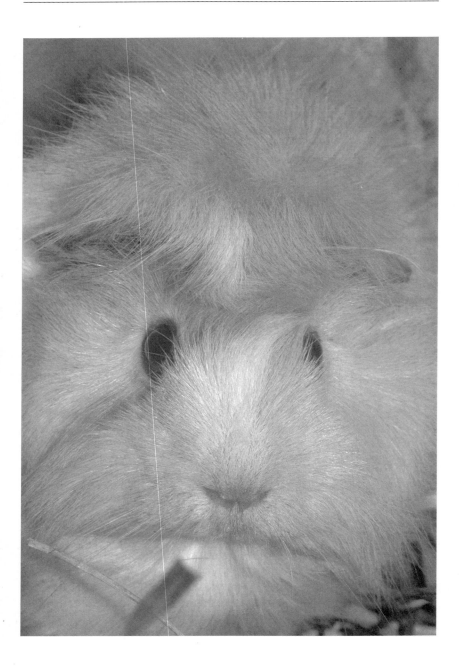

Huisvesting

Om een cavia verantwoord en comfortabel te kunnen huisvesten in gevangenschap, is het van belang enig inzicht te hebben in de wijze waarop hij in de vrije natuur leeft. Ook al zit de cavia bij u thuis in een hok of kooi, het is dan toch mogelijk zijn natuurlijke leefomstandigheden enigszins te benaderen, zodat het diertje zich zo prettig mogelijk zal voelen.

In de vrije natuur

De tamme cavia die wij als huisdier kennen leeft niet in de vrije natuur. Een mogelijke voorouder, de wilde cavia, komt in groten getale voor in Zuid-Amerika. Hij wordt daar al eeuwenlang door de inheemse bevolking in halfvrije vorm gehouden. Ook nu nog leven er talloze cavia's in en rond de dorpen, waar ze in de nabijheid van mensen hun kostje bij elkaar scharrelen. De Tschudi-cavia, een andere kandidaat voor het voorouderschap van onze huiscavia, kent een meer natuurlijk leefgebied. Hij komt voor in overwegend bergachtige gebieden, tot een hoogte van wel 4200 meter.

De diverse wilde caviasoorten leven in bergen, op savannen en in moerassen, maar vermijden liever het dichte tropisch regenwoud. In groepen van vijf tot tien dieren bewonen ze aardholen. Bij voorkeur maken ze gebruik van bestaande, natuurlijke holen of holen die andere dieren al gegraven hebben. Zijn die niet beschikbaar, dan gaan ze zelf aan de slag. Holenstelsels van cavia's zijn niet ingewikkeld of diep. Ze dienen slechts als schuilplaats, slaapplaats en kraamkamer.

Huisvesting in gevangenschap

Cavia's stellen geen al te hoge eisen aan hun verblijf. Ze voelen zich er zeker op hun gemak als ze met soortgenoten zijn. Het is niet aan te raden twee beertjes bij elkaar te houden als er ook zeugjes in de buurt zijn: de mannetjes zullen elkaar dan zeker te lijf gaan.

Een goed caviaverblijf moet allereerst droog en tochtvrij zijn, maar wel een goede ventilatie hebben. Tocht en vocht zijn de grootste bedreigingen voor de gezondheid van uw cavia's!

Net als bij alle huisdieren geldt ook voor de cavia: hoe groter het verblijf, hoe beter. De minimumafmeting voor een 'eenpersoons' caviakooi is 60 x 40 centimeter. Wanneer u meerdere cavia's in één verblijf wilt houden moet de kooi natuurlijk groter zijn!

Soorten verblijven

De simpelste en snelste manier om een goede kooi te kopen, is een bezoekje te brengen aan een dierenspeciaalzaak. Daar zijn cavia-kooien in allerlei soorten en maten verkrijgbaar. Ze bestaan meestal uit een plastic onderbak met daarop een kap van metalen tralies. Let er wel op dat de onderbak hoog genoeg is: dit voorkomt dat de cavia zaagsel en hooi uit de kooi gooit.

Met een beetje handigheid bouwt u zelf een kooi. Dan kunt u al uw eigen wensen verwezenlijken en het verblijf helemaal op maat maken.

In principe hoeft er geen deksel op de kooi. Cavia's kunnen tenslotte niet klimmen of springen en zijn ook geen uitbrekers. Heeft u echter een kat, een hond, een fret of een ander roofdierachtig huisdier, dan is een deksel wel op zijn plaats.

Het is aan te raden een cavia niet met kleurmuizen, hamsters of tamme ratten in één verblijf te huisvesten. Een cavia kan wel

Een doe-het-zelf hok:

- Gebruik een hard materiaal voor de bodem zodat daar geen urine of water in kan trekken (glas, geplastificeerde panelen)
- Gebruik geen materiaal dat kan splinteren als eraan geknaagd wordt.
- Gebruik geen spijkers of schroeven op plaatsen waar ze kaal geknaagd kunnen worden.
- Gebruik geen geplastificeerd gaas.
- Gebruik geen gaasbodems.
- Het verblijf moet voldoende licht krijgen.
- Het verblijf mag, vooral 's zomers, niet in het directe zonlicht staan.
- Het verblijf moet eenvoudig te reinigen zijn.
- Er moet voldoende ventilatie zijn, maar tocht moet beslist vermeden worden.
- De luchtvochtigheid mag niet te hoog of te laag zijn.

goed samenleven met een konijn. Wanneer u zelf een verblijf bouwt is het een leuk idee er een tweede etage in te maken. Maak deze verdieping niet hoger dan vijftien centimeter en bouw er een trapje naartoe. De ruimte onder de verdieping kan dan als schuilplaats worden gebruikt.

Oude aquaria of glazen bakken zijn ongeschikt als caviaverblijf, wegens gebrek aan ventilatie.

Cavia's binnen

Een cavia kan zonder problemen het hele jaar door binnenshuis worden gehouden. Zo heeft u een goed contact met het dier en wordt hij veel tammer. Een cavia is een echt gezelligheidsdier en zal regelmatig van zich laten horen met aanstekelijk gepiep. Wanneer een cavia altijd in een (kleinere) binnenkooi zit, moet u hem minstens één keer per dag een rondje door de kamer laten lopen.

Cavia's buiten

Wanneer u uw cavia ook van frisse lucht wilt laten genieten, is het natuurlijk het gemakkelijkst om hem met kooi en al in de tuin of op het balkon te zetten. Doe dit alleen bij goed weer in het voorjaar en de zomer. Zorg ervoor dat het dier voldoende beschut is tegen zon en regen. Het is belangrijk dat de cavia niet direct vanuit een verwarmde kamer in de koele buitenlucht wordt gezet (of andersom): grote temperatuurschommelingen zijn voor hem niet gezond.

Het is ook mogelijk een cavia meer permanent buiten te houden. U moet hem echter wel in huis halen of in de schuur zetten als de middagtemperatuur minder dan vijftien graden bedraagt (herfst, winter en vroege voorjaar). Voor een permanent buitenverblijf is een ren met een overdekt gedeelte of een konijnenhok zeer geschikt. Het hok moet echter absoluut vorstvrij zijn; bij voorkeur een dubbelwandig nesthok met een grote hoeveelheid hooi. In de vrije natuur leven cavia's ook hoog in de bergen en kunnen dus goed tegen de kou. De tamme cavia is door eeuwenlange gevangenschap echter zodanig veranderd dat hij de kou niet meer verdraagt.

Bedenk wel dat buitenverblijven erg aanlokkelijk zijn voor ratten, muizen en andere ongewenste gasten. Een degelijk gebouwde buitenren van duurzaam materiaal kan ze wel buiten de deur houden. Rottende onderdelen van het buitenverblijf kunnen een verzamelplaats worden van schimmels, insecten en ander ongedierte. Onderhoud het dus goed.

Een nadeel van een buitenverblijf is dat u beduidend minder contact hebt met uw dier(en). Een cavia die alleen leeft zal hier extra onder te lijden hebben. Ook wijst de praktijk uit dat cavia's die binnenshuis worden gehouden aanzienlijk langer leven dan 'buitencavia's'. Ten slotte is het niet aan te bevelen langharige cavia's buiten te houden.

Bodembedekking

Van oudsher gebruikt men houtmot in dierenverblijven. Dit wordt vaak zaagsel genoemd, maar het is eigenlijk schaafsel. Zaagsel neemt uitstekend vocht op en stinkt nauwelijks. Dit zijn goede eigenschappen voor een bodembedekking, maar een groot nadeel van zaagsel is dat het veel stof bevat. Uit onderzoek van de laatste jaren is gebleken dat knaagdieren veel last kunnen hebben van dit stof. Daarom zijn er tal van andere soorten bodembedekking op de markt gekomen die 'gezonder' zijn voor dieren.

Zaagsel
Zoals gezegd is zaagsel niet erg geschikt als bodembedekking. Nu het stofprobleem algemeen is erkend worden sommige soorten houtmot in de fabriek ook beter gezeefd. Hoewel zaagsel niet per definitie wordt afgeraden gaat de voorkeur uit naar een beter product, hoewel dat vaak wat duurder is.
Gebruik **nooit** het zaagsel van timmerafval. Dit is vaak te fijn van structuur en kan giftige stoffen bevatten.

Een buitenren is heel geschikt voor cavia's, maar moet beslist vorstvrij zijn

Hooi
Cavia's gebruiken hooi graag als nestmateriaal en om aan te knabbelen. Het is voor hen ook een belangrijke voedingsstof. Hooi neemt echter te weinig vocht op om als bodembedekking te kunnen dienen.

Stro
Stro is veel te grof als bodembedekking of nestmateriaal voor cavia's. Er is echter een product op de markt dat wordt gemaakt van gehakseld stro. Russel Rabbit is heerlijk zacht en ideaal als nestmateriaal. Als bodembedekking neemt het echter te weinig vocht op.

Kattenbakkorrels
Er zijn wel zo'n honderd soorten kattenbakkorrels te koop. Sommige daarvan zijn geschikt om cavia's of andere knaagdieren op te houden. Vooral korrels gemaakt van maïskolven, bijvoorbeeld die van Witte Molen, nemen veel vocht op en kunnen dus goed dienst doen. Kattenbakkorrels van steen of klei zijn minder geschikt, vooral omdat ze stuiven.

Geperste korrels
De laatste jaren zijn er ook verschillende bodembedekkingen op de markt die bestaan uit geperste korrels. Sommige soorten hebben hele scherpe randjes en lijken niet erg comfortabel.

Zand
Zand neemt te weinig vocht op om als bodembedekking te kunnen dienen. Bovendien wordt het snel vies.

Papierstrookjes
Er worden ook verschillende soorten papierstrookjes als bodembedekking aangeboden. Deze strookjes zijn heel geschikt om mee te spelen en kunnen ook als nestmateriaal worden gebruikt. Als bodembedekking nemen ze echter veel te weinig vocht op.
Maak nooit zelf bodembedekking of nestmateriaal van oude kranten: de drukinkt kan schadelijk zijn voor uw cavia!

> Samenvattend kunt u het best kiezen voor een bodembedekking die goed vocht opneemt, in combinatie met een zacht, warmte-isolerend nestmateriaal.

Interieur

Een verblijf met alleen maar bodembedekking is een kale boel. In een caviakooi mag een ruif voor het hooi niet ontbreken. Die is verkrijgbaar in de dierenspeciaalzaak. Geef drinkwater bij voorkeur in een drinkfles. U hangt die aan de buitenkant van de kooi, met de tuit naar binnen. In de tuit zitten twee stalen balletjes. Wanneer het dier de balletjes beweegt komt er water uit. Elke cavia kan snel met zo'n fles overweg.

Doe het droogvoer in een zware, stenen bak. Cavia's gaan graag met hun voorpoten op de rand staan. Een te lichte bak kiept dan gemakkelijk om. Groente kunt u zo in de kooi leggen.

Holbewoners van nature, hebben cavia's graag een schuilgelegenheid. Dit kan een houten huisje of kistje zijn, waar ze naar behoefte in weg kunnen kruipen. Als de kooi regelmatig buiten staat mag dit schuilplekje geen zwart of donkergekleurd dakje hebben: door de zon zou het binnen te heet worden. Cavia's zijn schone dieren die zelf hun wc-hoek uitzoeken. Deze hoek kunt u om de paar dagen uitscheppen. Dit zorgt ervoor dat u de kooi in zijn geheel maar eens in de twee weken hoeft schoon te maken. Voor het leegscheppen van de wc-hoek kunt u het best een leeg blikje gebruiken.

Gevaren

Een huisdier dat redelijk tam is en niet al te ruim behuisd zou regelmatig vrij moeten kunnen rondlopen. Voldoende lichaamsbeweging is namelijk heel belangrijk voor de gezondheid van een dier. Wanneer u uw cavia loslaat in de kamer, op het balkon of in de tuin, moet u wel bedacht zijn op een aantal gevaren:

Let op rondslingerende elektriciteitssnoeren. Een cavia knaagt overal aan en is niet bestand tegen 220 volt. Pas op dat u niet op de cavia gaat staan en dat hij niet tussen de deur komt (hoe overdreven dit ook klinkt, het gebeurt!). Houd overige huisdieren (hond, kat) in de gaten. Kamerplanten kunnen giftig zijn voor een cavia. Laat hem er niet aan knabbelen. Achter de kachel is het veel te heet voor een cavia; zorg dat hij daar niet komt. Laat de cavia niet over de tafel of op een hoog randje lopen. Hij kan slecht hoogte schatten en zich bij een val ernstig bezeren.

Zorg dat uw tuin of balkon goed afgerasterd is. Een gaatje is door een cavia snel gevonden en de hond van de buren zit wellicht niet op visite te wachten. Cavia's zijn struikgewas al lang ontwend. Ze bezeren zich snel aan stekels en doorns. Laat de cavia niet natregenen: buiten in de wind kan een natte cavia razendsnel ziek worden.

_Cavia's kunnen prima met (dwerg)konijnen in één verblijf gehouden worden.
Met alle andere dieren is dit NIET mogelijk!_

Tips voor.........

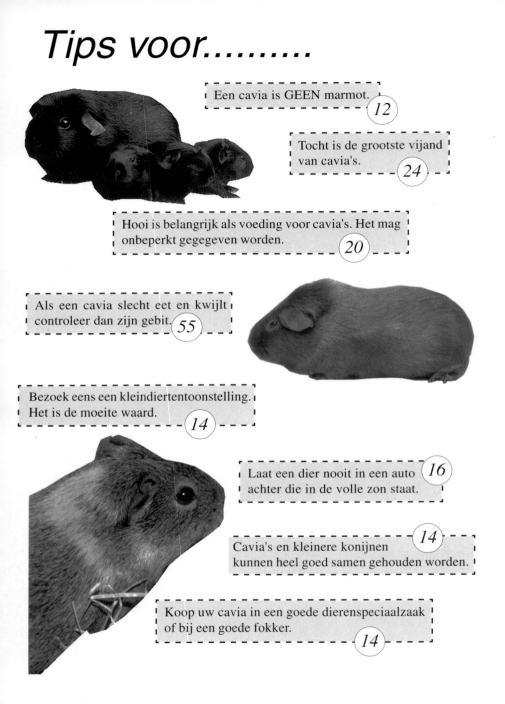

Een cavia is GEEN marmot. *12*

Tocht is de grootste vijand van cavia's. *24*

Hooi is belangrijk als voeding voor cavia's. Het mag onbeperkt gegegeven worden. *20*

Als een cavia slecht eet en kwijlt controleer dan zijn gebit. *55*

Bezoek eens een kleindiertentoonstelling. Het is de moeite waard. *14*

Laat een dier nooit in een auto *16* achter die in de volle zon staat.

Cavia's en kleinere konijnen *14* kunnen heel goed samen gehouden worden.

Koop uw cavia in een goede dierenspeciaalzaak of bij een goede fokker. *14*

.... de cavia

Vitamine C is van levensbelang voor een cavia. Hij heeft het elke dag nodig. (17)

Een vrouwtje moet voor dat ze twaalf maanden oud is moeder geworden zijn. Daarna is dat niet meer mogelijk. (48)

Kinderen blijven kinderen, laat ze daarom nooit zonder toezicht met een dier spelen. (13)

Koop geen te jonge, maar ook geen stokoude cavia. (15)

Bezint eer ge begint. Een aanschaf van een dier moet een weloverwogen beslissing zijn. (13)

(25) Cavia's moeten altijd een vorstvrij onderkomen hebben.

(14) Cavia's zijn groepsdieren; ze hebben dus gezelschap nodig.

(25) Voorkom grote temperatuurschommelingen.

Als u niet gezien heeft dat uw cavia's elkaar gedekt hebben betekent dat niet dat er geen cavia's drachtig zijn. Cavia's zijn namelijk heel discreet in hun liefdesleven. (48)

(8) *Op deze pagina vindt u meer informatie over de tip.*

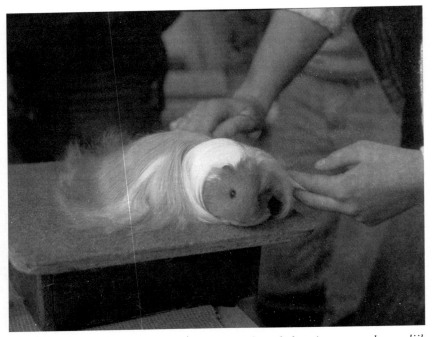

Een sheltie wordt gekamd en verzorgd om tijdens de keuring zo goed mogelijk
voor de dag te komen

Puntenverdeling bij cavia's

Type en bouw	*20*	*punten*
Grootte	*10*	*punten*
Beharing en beharingsconditie	*20*	*punten*
Kop, ogen en oren	*15*	*punten*
Dekkleur en buikkleur	*15*	*punten*
Onderkleur	*15*	*punten*
Lichaamsconditie	*5*	*punten*
	100	*punten*

Tentoonstellingen

Veel mensen fokken cavia's als hobby. Ze gaan ermee naar kleindierenshows en tentoonstellingen, waar ze met hun mooiste exemplaren in de prijzen proberen te vallen. Het uiterlijk, de kleur en de vacht van cavia's zijn aan strenge regels gebonden: niet alles kan. De perfecte cavia voldoet aan de eisen die zijn gesteld in de Standaard van de Nederlandse Konijnenfokkers Bond (NKB).

De Standaard

De Standaard van de NKB beschrijft hoe cavia's en enkele kleine (knaag)dieren zoals het konijn, de goudhamster, de Mongoolse gerbil, de tamme rat en de kleurmuis er idealiter uit zouden moeten zien.

Een dier dat ter beoordeling wordt aangeboden kan op zeven onderdelen punten verdienen. In bijgaande tabel ziet u hoeveel punten een cavia doorgaans op een onderdeel kan scoren. Bij eventuele fouten worden punten afgetrokken in evenredigheid met de ernst van de fout. Het dier dat uiteindelijk de meeste punten verzamelt heeft gewonnen en mag zich 'best of show' noemen.

Cavia's komen voor in veel meer kleurslagen en tekeningen dan in de Standaard zijn opgenomen. Een kleurslag of tekening wordt echter alleen maar officieel erkend als die in de Standaard staat. Ter illustratie: in de Standaard worden rode en goudkleurige cavia's beschreven. Wanneer een inzender een cavia voorbrengt die niet rood (warm kastanjerood) is en ook niet goudkleurig (warm oranje), maar een soort rood-oranje, dan voldoet het dier niet aan de eisen en krijgt het een matige of slechte beoordeling bij het onderdeel 'kleur'.

Men kan het dier dan zien als een 'slechte' rode of goudkleurige cavia. Het is ook mogelijk het dier als een 'nieuwe kleur' voor te dragen voor de Standaard. Niet elke mengvorm tussen twee kleuren wordt echter automatisch in de Standaard opgenomen: er zijn een aantal eisen waaraan een kleur of tekening moet voldoen om opgenomen te kunnen worden. Er moeten minimaal vier dieren met die betreffende nieuwe kleur of tekening worden inge-

Tot in de puntjes verzorgd naar de keuring

zonden naar de Bondstentoonstelling. Daar worden ze beoordeeld en eventueel goedgekeurd door de Standaardcommissie van de NKB. De eerste stap is dan een voorlopige erkenning. Na drie jaar wordt bekeken of er inmiddels voldoende dieren zijn met de nieuwe kleur of tekening. Is dat het geval, dan volgt de definitieve erkenning.

De keuring

Tijdens een keuring worden de ingezonden dieren beoordeeld op de volgende onderdelen:

Type en bouw
Dit onderdeel van de Standaard omschrijft de lichaamsbouw van een cavia. Een citaat: "De cavia moet een sterk en krachtig gespierde indruk geven, wat vooral tot uitdrukking komt in samenspel van een fraai ontwikkelde, brede kop, korte, krachtige nek en het hoofdmerk van het 'type'. De hoge, brede, goed gespierde schouderpartij (gewoonlijk 'schoft' genoemd) en een goed gevulde borst en ribbenpartij onderstrepen de bouw die krachtig, kort en geblokt dient te zijn."

Een prachtige tentoonstellingscavia, kleur goud

_Een aantal kleuren op een rijtje. Van links naar rechts: wit, lilac, buff, crème
en zwart_

Gewicht
Voor een tentoonstelling kunnen cavia's in twee categorieën worden ingeschreven: jong en oud. Bij de beoordeling op het onderdeel gewicht wordt rekening gehouden met de leeftijdscategorie. Volgens de Standaard moet een cavia groot zijn, maar niet grof, lomp, dik of vet. Het gewicht mag variëren van 900 tot 1200 gram.

Pels en pelsconditie
Dit onderdeel wordt in de Standaard beschreven per ras en per haarstructuur. Bij cavia's worden namelijk een aantal verschillende haarstructuren onderscheiden. De meest voorkomende cavia is de normaalhaar. Die heeft een gesloten, zachte en glanzende vacht met fijne haren en grovere dekharen. De haren zijn ongeveer drie centimeter lang. Verder bestaan er nog rexen, gekruinde en borstelhaar cavia's, shelties en peruvians. Meer daarover leest u in het hoofdstuk 'Rassen en kleurslagen'.

Kop en oren
Ook dit onderdeel is per ras en per tekening omschreven. Meer details vindt u in het volgende hoofdstuk.

Dek- en buikkleur
Onder de dekkleur verstaat men de oppervlaktekleur van de rug, de buikkleur is de oppervlaktekleur van de buik. Het woordje 'oppervlakte' is hier van doorslaggevend belang. Een haar bestaat namelijk meestal uit verschillende kleuren. Zo heeft de basis van de haar (aan het lichaam) een bepaalde kleur. De haarpunt heeft dan de dek- of buikkleur. In sommige gevallen heeft het tussenstuk van de haar ook nog een eigen kleur.
Dek- en buikkleur zijn belangrijk omdat de kleur van de haarpunten natuurlijk het duidelijkst te zien is. De verschillende dek- en buikkleuren komen aan bod bij de beschrijving van de kleurslagen.

Tussen- en grondkleur
Na lezing van het bovenstaande zal duidelijk zijn wat de tussen- en grondkleur inhouden. Deze kleuren zijn goed zichtbaar wanneer er in de vacht wordt geblazen. Dan vormen de haren die opzij gaan een soort rozet, waarin de grond-, tussen- en dekkleur mooi uitkomen.

Lichaamsconditie en verzorging
Over dit onderdeel zegt de Standaard het volgende: "De cavia moet stevig en gespierd aanvoelen, goed bevleesd, zonder vet of mager te zijn en vrij van klitten en beschadigingen. De ogen moeten helder zijn en tintelen van vitaliteit. De nagels mogen niet lang zijn en moeten zo nodig geknipt worden, zodat ze evenwijdig staan met het loopvlak. De voetzolen, nagels en binnen- en buitenzijde van de oren moeten schoon zijn. De dieren mogen niet zichtbaar drachtig zijn. Zij moeten vrij zijn van ziekten en ongedierte."

Het zal duidelijk zijn dat de cavia's die in dierenspeciaalzaken worden verkocht geen rascavia's zijn. Ze worden immers gefokt als huisdier en niet voor tentoonstellingen. Daarom zijn het dan ook 'mengelmoescavia's'. Vaak zijn dit wel de liefste en goedmoedigste dieren.

Toch is best aardig om eens na te gaan in hoeverre uw huiskamercavia voldoet aan de Standaard. Sommige onderdelen daarvan, zoals 'lichaamsconditie en verzorging', gaan ook op voor een gezelschapsdier. Het is zinnig om uw cavia zo nu en dan eens te beoordelen met de ogen van een keurmeester: is hij niet te dik of te mager? Is zijn pels goed verzorgd?

Op een leeftijd van 9 tot 13 maanden is de beharing van een langhaarcavia op zijn mooist

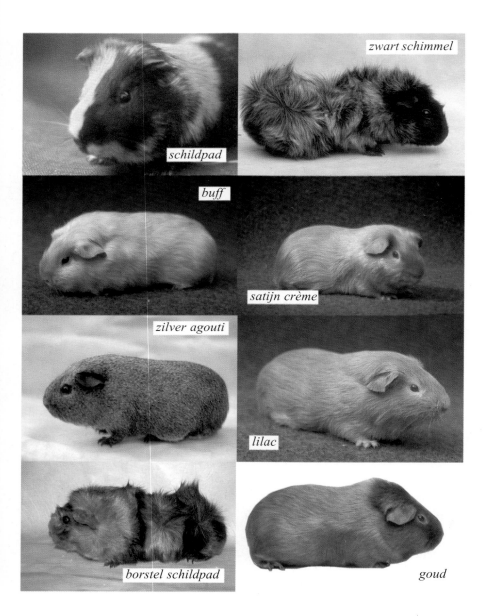

zwart schimmel

schildpad

buff

satijn crème

zilver agouti

lilac

borstel schildpad

goud

Rassen en kleurslagen

Het voert te ver om in dit boek alle voorkomende caviarassen, -kleurslagen en -tekeningen uitvoerig te beschrijven. Daarvoor bestaat immers een ras-standaard. Om u toch enig idee te geven van de bonte en gevarieerde wereld van de cavia gaan we in dit hoofdstuk kort in op een aantal rassen, kleuren en tekeningen.

Rassen

Er zijn op dit moment negen erkende caviarassen. Deze onderscheiden zich vooral door hun vachtstructuur. Het meest voorkomende ras is de **gladhaar**. De **gekruinde cavia** is ook gladharig, maar heeft een kruin op zijn voorhoofd. De **borstelhaar** heeft een onregelmatige vacht die stug aanvoelt.

Er zijn drie verschillende soorten langhaarcavia's. De **peruvian** is de bekend-ste. Deze soort heeft twee rozetten op de achterhand. De **sheltie** heeft deze rozetten niet. De **coronet** draagt een kruin als een 'kroon' op zijn voorhoofd.

De **satijn** is een vrij nieuw ras. De haren van deze gladhaarcavia hebben een holle schacht, waardoor ze een satijnglans krijgen. De vacht van de **rex** lijkt op die van een teddybeer. De **tessel** is een kruising tussen een rex en een sheltie. Hij heeft een krullende vacht met een zeer dichte haarinplant.

Kleurslagen

Een kleurslag is een groep kleuren die bij elkaar horen. Er worden twee hoofd-groepen van kleurslagen onderscheiden: de agouti's en de eenkleurigen.
Agouti is een gespikkelde kleur, ofwel een wildkleur zoals die in de vrije natuur voorkomt. De spikkeling ontstaat doordat de haren een zwarte punt hebben. In de kleindierensport wordt dit 'ticking' of 'wildkleurpatroon' ge-noemd. Agouti-cavia's komen voor in de volgende kleuren: goud agouti (warm kastanjerood met zwarte ticking), grijs agouti (zeemkleurig geel met zwarte ticking; ook wel 'wildkleur' genoemd), zilver agouti (zilvergrijs met zwarte ticking), cinnamon agouti (zilverwit met kaneelkleurige ticking), zalm agouti (zachtoranje met donkergrijze ticking).

De eenkleurige kleurslagen hebben één kleur. De volgende kleuren zijn er-kend: zwart, chocolade (donkerbruin), lilac (blauwachtig met rossige gloed), beige (donker roomkleurig met grijze waas), rood (warm kastanjerood), goud (warm oranje) buff (donkergeel oker), crème (licht roomkleurig) en wit. Witte cavia's mogen rode of donkere (bruine of blauwe) ogen hebben.

Tekeningen

Een tekening is een vastgelegd kleurpatroon. Er zijn verschillende tekenin-gen erkend. Het kan erg lastig zijn om de afscheidingen tussen kleuren pre-cies daar te fokken waar ze thuishoren.

De **brindle** is een tekening waarbij twee kleuren gelijkmatig verdeeld moeten zijn over het lichaam. De **schildpad** is een ingewikkelde tekening. Aan beide zijden van het lichaam bevinden zich meerdere, scherp afgetekende kleur-velden. Over de ruggengraat loopt een duidelijke scheiding. De kleurvelden moeten vierkant zijn en zijn alleen erkend in de kleuren rood en zwart.

De **japanner** is ook rood met zwart, maar hier liggen de kleuren als banden rond het lichaam en de kop. De scheiding van de kleuren loopt van voor naar achter midden over de rug en de buik. Waar de linker lichaamshelft rood is, moet de rechterhelft zwart zijn. De rode kophelft moet een zwart oor hebben en omgekeerd. Dit patroon is bijzonder moeilijk te fokken.

Bij de **driekleur** zijn drie kleuren regelmatig verdeeld over het lichaam. De **hollander** heeft eenzelfde tekening als het hollanderkonijn (wit met zwarte kopplaten en achterhelft). De **rus** is wit met donkere neuspunt, oren en voeten.

Naast bovengenoemde variëteiten komen er nog veel andere kleurslagen en tekeningen voor die bijna of nog lang niet erkend zijn. Zo zijn er dalmatiërs, schimmels, marterkleurigen, harlekijnen en zilverzalm agouti's.

Bijzondere cavia's

Behalve de bij ons overbekende tamme cavia bestaan er nog een aantal andere caviasoorten. Sommige zijn nauw verwant aan 'onze' cavia, andere iets minder.

De wilde cavia

Omdat van de tamme cavia niet precies bekend is wie zijn voorouders zijn, kunnen we niet met zekerheid zeggen dat dit de wilde vorm van onze cavia is. De wilde cavia (*Cavia aperea*) lijkt wat betreft bouw in elk geval wel als twee druppels water op de tamme cavia. Hij heeft een fraaie, roodbruine pels met zwarte ticking en is minder plomp dan de tamme cavia.

In sommige dierentuinen (zoals die van Berlijn) worden al langere tijd bijzondere cavia's gehouden. De fok van de wilde cavia kent echter wisselend succes, waardoor de populatie niet echt groot is. Men neemt aan dat voeding, verzorging en voortplanting van de wilde cavia identiek zijn aan die van zijn tamme soortgenoot.

De wezelcavia

De wezelcavia *(Galea musteloides)* is niet zo nauw verwant aan de tamme cavia. Hij behoort dan ook tot een ander geslacht *(Galea)*. De wezelcavia is een dagactief dier dat in groepsverband leeft.

De jongen worden door het hele jaar heen geboren. Na een draagtijd van 54 dagen werpt het vrouwtje één tot zeven jongen. Die wegen bij de geboorte ongeveer honderd gram en worden 23 dagen gezoogd.

In Nederland worden nog zo'n tien wezelcavia's gehouden. Enkele jaren geleden verliep de fok met deze dieren nog redelijk voorspoedig, maar door onbekende oorzaak is die vrijwel gestagneerd.
De wezelcavia is een stuk slanker dan de echte cavia. Zijn vacht is meer grijsgespikkeld van kleur.

Wezelcavia

De rotscavia

De rotscavia *(Kerodon rupestris)* wordt ook wel 'rotsmóko' of 'bergcavia' genoemd. In tegenstelling tot de andere caviasoorten kunnen rotsmoko's uitstekend klimmen en springen. In de vrije natuur leven rotsmoko's in bomen en langs rotsachtige hellingen. Balancerend over dunne takken vinden zij hun weg.

In bepaalde perioden is de rotscavia ook 's nachts actief. De vrouwtjes werpen een à twee keer per jaar jongen. Net als andere caviasoorten stellen ook de rotsmoko's geen hoge eisen aan hun verzorging.

De Tschudi-cavia

De Tschudi-cavia *(Cavia aperea tschudi)* is een ondersoort van de wilde cavia. Sommige kenners beschouwen deze ondersoort als de voorouder van de tamme cavia. In de vrije natuur bewoont hij de hellingen van het Andesgebergte (Midden-Chili), waar hij wel tot een hoogte van 4200 meter voorkomt. Deze caviasoort leeft voornamelijk van grassen en kruiden.

De wilde caviakomt in Zuid-Amerika nog in het wild voor

Rotscavia

Naast de bovengenoemde soorten kennen we ook nog de dwergcavia *(Micro-cavia australis)*, de Amazonecavia *(Cavia fulgida)* en de Peruviaanse cavia *(Cavia stolida)*. Deze soorten zijn echter vrij zeldzaam en er is weinig over bekend. Ze worden ook niet in gevangenschap gehouden.

Een aantal (verre) familieleden van de cavia: een hutia (linksboven), een chinchilla (rechtsboven) en een goudagouti (onder)

Voortplanting

Wanneer u een mannetjescavia en een vrouwtjescavia laat samenwonen bestaat er grote kans op gezinsuitbreiding. U moet van tevoren goed overwegen of u daar wel aan wilt beginnen. Een nestje cavia's is leuk, maar na het tweede of derde nest kan het moeilijk worden nog een goed tehuis voor de jongen te vinden. Houd dus rekening met (al of niet gewenste) voortplanting wanneer u de dieren gaat aanschaffen. Wie al een mannetje en een vrouwtje heeft maar geen jongen wil, kan de dieren in twee aparte kooien huisvesten. Het is ook mogelijk een mannetje te laten castreren.

Cavia's krijgen niet zo vaak jongen als muizen of hamsters. Zonder geboortebeperking krijgt een paartje hooguit vier keer per jaar een nestje van twee tot vijf jongen.

Mannetje of vrouwtje

Bij cavia's is het verschil tussen beide geslachten normaal gesproken niet gemakkelijk te zien. Daarvoor moet u de dieren grondig onder de staart kijken. Zoals bij de meeste knaagdieren kunt u ook bij cavia's het geslachtsverschil zien aan de ruimte die er is tussen de anus en de geslachtsopening. Die afstand is bij mannetjes veel groter dan bij vrouwtjes. Bovendien is bij volwassen mannetjes de omtrek van de zaadballen te zien.

Inteelt

Om verantwoord te fokken mag u niet elk willekeurig mannetje en vrouwtje met elkaar laten paren. Er bestaat dan namelijk het risico dat er inteelt plaatsvindt. Wanneer u bijvoorbeeld een broertje en zusje uit een nestje van de buren heeft gekregen kunt u daar beter niet mee fokken. Wanneer deze dieren jongen zouden krijgen is dat een ernstige vorm van inteelt. En wie geeft de garantie dat het nestje van de buren ook al niet van een broer en een zus was?
Nu is één keer inteelt geen ramp, maar als het enkele keren achter elkaar gebeurt zullen de gevolgen snel zichtbaar zijn. De jongen worden bij elk nest kleiner en zwakker, er worden steeds minder geboren en uiteindelijk treden er ook aangeboren afwijkingen op.

De paring

Wacht met fokken tot de cavia's vijf tot zeven maanden oud zijn. Op die leeftijd zijn de botten van het vrouwtje nog zo soepel, dat ze tijdens de geboorte kunnen worden opgerekt. Bij vrouwtjes die op latere leeftijd hun eerste nestje krijgen verloopt de bevalling veel moeizamer.

Cavia's paren niet graag in het openbaar. Ze doen dat heel discreet, zonder dat iemand het ziet. Er kan pas een paring plaatsvinden als het zeugje bronstig (paringsbereid) is. De bronst kondigt zich aan door grote opwinding binnen de caviagemeenschap. Een zeugje wordt een keer per 16 dagen bronstig, gedurende enkele uren. Tijdens de bronst breekt er een vlies in de vagina, waardoor een dekking kan plaatsvinden. Na de dekking laat de beer een wasachtige prop achter in de vagina. Hierdoor kan het sperma niet naar buiten vloeien.

Moeder borstelhaar roodschimmel met jongen. De jongen zijn allemaal rood

Cavia's zijn bijzonder discreet in hun liefdesleven

Zwangerschap en geboorte

Drachtige cavia's kunnen erg dik worden, maar in sommige gevallen ziet u er bijna niks van voordat driekwart van de dracht is verstreken. De dracht van een cavia duurt ongeveer 65 tot 70 dagen en is voor het vrouwtje niet gemakkelijk. Omdat cavia's nogal gevoelig zijn voor stress kunt u de aanstaande moeder het best zoveel mogelijk met rust laten. Aan het eind van de dracht is het zeugje vaak zó zwaar dat ze alleen nog maar door het hok kan waggelen. Haar lichaamsgewicht kan wel met 50 tot 75 procent toenemen. De zeug heeft nu ook behoefte aan extra vitamine C. Geef haar dagelijks een 50mg tabletje.

De geboorte kan gewoon in het verblijf plaatsvinden. In principe kan het mannetje erbij blijven, maar de zeug is binnen 24 uur na de bevalling weer paringsbereid. Daarom verdient het aanbeveling het mannetje tijdelijk ergens anders te huisvesten.

De geboorte verloopt over het algemeen vlot en probleemloos. Binnen een kwartier zijn alle jongen geboren. Als een jong is geboren, likt de moeder het vruchtvlies open en bijt ze de navelstreng door. Raak de jongen in geen geval met uw blote handen aan. De moeder zal ze dan vanwege de geur verstoten.

Ontwikkeling

De dracht van een cavia duurt zo lang omdat de jongen volkomen ontwikkeld ter wereld komen: helemaal behaard en met de oogjes en oortjes open. Ze kunnen zelfs al direct na de geboorte lopen. Jongen die zo ter wereld komen noemen we nestvlieders. Omdat cavia's dus al meteen na hun geboorte kunnen vluchten voor vijanden, maken de ouderdieren nooit een echt nest of hol. De maag van de jongen is al volledig ontwikkeld en ingesteld op vast voedsel. Toch drinken ze nog ongeveer een maand bij hun moeder.

Gezondheid en ziekte

Cavia's hebben over het algemeen gelukkig weinig problemen met hun gezondheid. Een gezond exemplaar kijkt kwiek uit zijn ogen en is levendig. Zijn pels is glad (behalve bij een borstelhaar!), zacht en regelmatig. Het achterste is droog en schoon. Een zieke cavia zit vrijwel altijd in elkaar gedoken. De vacht is dof en staat open, alsof hij vochtig is. Zieke cavia's zijn meestal bijzonder lusteloos en kruipen stilletjes in een hoekje.

Preventie

Het motto 'Voorkomen is beter dan genezen' geldt bij uitstek voor kleine dieren als cavia's. Het is namelijk niet altijd even eenvoudig om een zieke cavia te behandelen. Zelfs een kleine verkoudheid kan een cavia fataal worden. De grootste gevaren die voor hem op de loer liggen zijn dan ook tocht en vocht.

Er zijn een paar algemene maatregelen die u kunt treffen wanneer een cavia ziek is:

- Wanneer het dier met andere dieren in één verblijf leeft, moet u de zieke zo snel mogelijk weghalen. Het kan immers iets besmettelijks zijn, waardoor ook uw andere cavia's gevaar lopen.
- Breng het zieke dier in een rustige, schemerige omgeving. Stress, drukte en lawaai zijn niet bevorderlijk voor de genezing.
- Houd het dier wel warm, maar zorg dat de omgeving niet te heet is. De beste temperatuur is 18 tot 21 graden.
- Wacht niet te lang met een bezoek aan de dierenarts. Cavia's die ziek worden hebben weinig overlevingsdrang. Soms overlijden ze al binnen een paar dagen.
- De patiënt moet steeds vers water tot zijn beschikking hebben. Houd er rekening mee dat het diertje te zwak kan zijn om de waterfles te bereiken.
- Vaak eten zieke dieren weinig of niets. Geef ze dan een klein stukje appel of ander fruit.

Verkoudheid en longontsteking

Tocht is één van de meest voorkomende oorzaken van verkoudheid en long-ontsteking bij cavia's. Kies daarom heel zorgvuldig de plek waar u het ver-blijf neerzet! Lage temperaturen kunnen ze weliswaar redelijk verdragen, maar kou in combinatie met vocht leidt eveneens onherroepelijk tot verkoudheid. Een cavia begint te niezen en krijgt een natte neus. Als de verkoudheid ern-stiger wordt, begint het dier reutelend te ademen en komt er veel meer nattig-heid uit de neus. In dat geval is het de hoogste tijd om naar de dierenarts te gaan. Die zal antibiotica voorschrijven. Een cavia met een verkoudheid of een longontsteking moet in een tochtvrije, warme ruimte worden gehouden (18 tot 21 graden).

Diarree

Ook diarree is een geduchte vijand van cavia's: de afloop is niet zelden dode-lijk. Helaas ontstaat diarree meestal door onjuiste voeding, soms in combina-tie met tocht of vocht. Sommige gevallen van diarree worden veroorzaakt door het geven van te veel vochtrijk voedsel. Bedorven voedsel of smerig drinkwater kunnen ook een oorzaak zijn. U kunt er dus zelf veel aan doen om diarree te voorkomen.

Mocht uw cavia er onverhoopt toch last van krijgen, moet u alle vocht-houdende voedingsmiddelen direct uit het verblijf halen. Geef het diertje uitsluitend droog brood, gekookte rijst of knäckebröd. Vervang zijn drink-water door lauwe kamillethee. Verschoon de bodembedekking en het nest-materiaal twee keer per dag. Zodra de patiënt weer helemaal beter is, moet u zijn verblijf ontsmetten.

Gezwellen

Cavia's hebben relatief veel last van gezwellen. Meestal doen die zich op latere leeftijd voor. Gezwellen treden vaak op bij dieren uit een stam waarin veel inteelt is bedreven; met andere woorden: waar veel met familieleden is gekruist. De meest voorkomende gezwellen zijn goed- of kwaadaardige ge-zwellen in de huid. Ook komen er gezwellen voor aan de melkklieren van de vrouwtjes. Deze gezwellen kunnen wel operatief worden verwijderd, maar gezien de vaak hoge leeftijd van de patiënt heeft dit weinig zin.

Een andere vorm van gezwellen wordt veroorzaakt door onderhuidse infec-tie. Dit noemt men een abces. Een klein wondje kan dichtgroeien, terwijl er onderhuids nog een ontsteking aanwezig is. Deze gezwellen kunnen door de dierenarts heel eenvoudig worden open- en schoongemaakt. Wanneer uw ca-via een gezwel heeft, ga er dan zo snel mogelijk mee naar de dierenarts. Te lang wachten verergert de situatie alleen maar, zowel bij huidkanker als bij een abces.

Botbreuken

Cavia's breken soms botjes omdat ze ergens achter blijven haken met hun pootjes, uit uw hand springen of van de tafel afvallen. Een dier met een ge-broken pootje zal het niet belasten en kreupel door het verblijf waggelen. Wanneer het een 'rechte' breuk is (het pootje heeft geen vreemde stand), zal die binnen enkele weken genezen. Zorg er in die periode voor dat de cavia zijn eten en drinken zonder moeite kan bereiken.

Wanneer een cavia zijn rug heeft gebroken is het beter hem te laten inslapen. Raadpleeg bij twijfel over een mogelijke breuk altijd uw dierenarts.

Tandmisvormingen

Cavia's die onvolledige voeding krijgen, waarin te weinig mineralen zitten, lopen gevaar dat hun tanden afbreken. Wanneer u ziet dat bij (één van) uw dier(en) een tand is afgebroken, controleer dan of de voeding goed is uitgebalanceerd. Uw dierenarts kan gistocal tabletten voorschrijven die het kalktekort opheffen. Een gebroken voortand zal vanzelf weer aangroeien. Controleer wel regelmatig of dit proces goed verloopt.

De voortanden van een cavia groeien continu door en slijten regelmatig af door het vele knagen. Door een erfelijke afwijking, een hevige klap of onvoldoende knaaggelegenheid kan dit proces worden verstoord. De tanden slijten dan onregelmatig af en passen uiteindelijk niet goed meer op elkaar. Soms kunnen de tanden zelfs ongeremd doorgroeien tot in de tegenoverliggende kaak. Wanneer een cavia té lange tanden krijgt kan hij niet meer goed kauwen. Het dier vermagert en zal uiteindelijk verhongeren. Lange tanden kunnen eenvoudig worden bijgeknipt. De dierenarts kan u dat leren of het voor u doen wanneer u het zelf niet goed durft.

Parasieten

Parasieten zijn kleine organismen die leven ten koste van hun gastheer. Het meest bekende voorbeeld zijn de vlooien bij hond en kat. Cavia's hebben weinig last van parasieten, zeker gezonde dieren niet. Zwakke, zieke of slecht verzorgde dieren zijn er veel sneller vatbaar voor. Parasieten ontdekt u meestal pas als het dier begint te krabben en er daardoor kale plekken ontstaan.
Wanneer u merkt dat uw cavia jeuk heeft en zich veelvuldig krabt, heeft hij hoogstwaarschijnlijk last van luizen (kleine spinnetjes die zich voeden met bloed). De luizen zijn vaak afkomstig van vogels.
De dierenspeciaalzaak of uw dierenarts kunnen u adviseren hoe u ze het best kunt bestrijden.

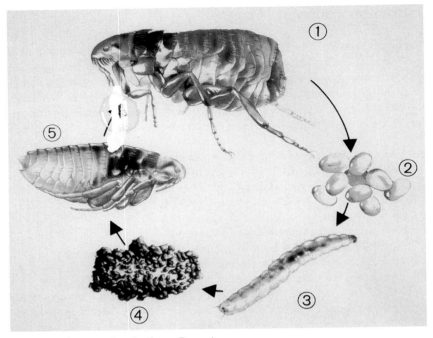

Levenscyclus van de vlo (bron Bayer)

Vlooien

De meeste vlooien die op cavia's worden aangetroffen zijn kattenvlooien. Cavia's zijn er op zich echter niet erg gevoelig voor. Wanneer uw andere huisdieren (vooral honden en katten) geen vlooien hebben zal uw cavia er ook niet gauw last van hebben. Wanneer uw kat echter veel last van vlooien heeft zullen die in veel gevallen wél de overstap maken naar de cavia.

Wanneer u aan vlooienbestrijding gaat doen, moet u dus zeker uw cavia('s) niet overslaan. Voor hen is vooral anti-vlooienpoeder of -spray geschikt. Let er wel goed op dat de cavia het bestrijdingsmiddel niet inademt!

Een larve kruipt uit het ei

Huidmijt
De huidmijt is een bijzonder schadelijke parasiet die gelukkig niet vaak voorkomt. Als uw cavia's er last van krijgen, bent daar echter nog niet klaar mee!
Het is een minuscuul spinnetje dat in de huid van de gastheer kruipt. Het
diertje zelf is dus niet of nauwelijks zichtbaar. Het veroorzaakt korsten en
eczeem die soms binnen een maand de hele huid kunnen aantasten. Huidmijt
is besmettelijk en kan op andere dieren worden overgedragen. Bestrijdingsmiddelen zijn verkrijgbaar bij de dierenarts en de betere dierenspeciaalzaak.
Lees de gebruiksaanwijzing op de verpakking grondig door. In de meeste
gevallen moet het besmette dier in een bad met het geneesmiddel. Droog de
cavia daarna goed af, zodat hij geen kou vat en breng hem in een warme
omgeving (minimaal 25 graden).

Een cavia met een familielid: de degoe. Hoewel cavia's en degoe's vreedzame
dieren zijn kunnen ze niet samen in een hok gehouden worden

Oormijt of -schurft
Als uw cavia vaak met zijn kop schudt of hem scheef houdt, dan is de kans
groot dat hij oormijt heeft. Oormijt (ofwel oorschurft) wordt eveneens door
hele kleine spinnetjes veroorzaakt. Die voeden zich met oorsmeer en huid-
schilfers uit het oor. Door de voortdurende irritatie wordt nog meer oorsmeer
aangemaakt, waardoor het hele oor volraakt met viezigheid. Dit veroorzaakt
hevige jeuk. U kunt oormijt simpel constateren door in de oorschelp te kijken.
De dierenarts kan een oorcleaner voorschrijven die meteen de mijten doodt.

Wormen
De gezondheid van uw cavia's kan ook gevaar lopen door een aantal inwen-
dige parasieten. Dit zijn kleine organismen die in het lichaam van de cavia
leven, zoals lintwormen, ringwormen en leverbot. Wormen en leverbot zijn
vaak afkomstig van honden of wilde konijnen. Deze parasieten worden over-
gebracht via hun ontlasting: wanneer u gras snijdt voor uw cavia('s) op een
plek waar veel honden worden uitgelaten of wilde konijnen leven, kan het de
eieren van deze parasieten dragen. Wanneer uw cavia dit gras eet komen de
eitjes in zijn darmen terecht. Daar komen ze uit en de wormen zullen zich
langzaam maar zeker vermenigvuldigen. Een cavia met een worminfectie zal
niet direct doodziek worden, maar wel vermageren en minder weerstand hebben tegen andere ziekten. Kies daarom zorgvuldig de plek waar u gras snijdt!

Huidschimmel

Soms kunnen cavia's last hebben van huidschimmel. Aan de oren of aan de
neus zitten dan kleine schilfertjes. Huidschimmel is vrij besmettelijk voor
mens en dier, maar eenvoudig te behandelen. Laat de aandoening echter niet
al te lang op z'n beloop: het dier kan er allerlei andere ziekten door oplopen.
Uw dierenarts heeft probate middelen tegen schimmel.

Gebreksziekten

Op meerdere plaatsen in dit boek hebben we het belang van voldoende vitamine C besproken. Een tekort aan vitamine C is de meest voorkomen gebrek-
ziekte bij de cavia. Niet alleen gebrek aan vitamine C, maar ook een tekort
aan andere stoffen kan leiden tot ziekten. In de tabel op de pagina hiernaast
ziet u een overzicht van de ziekten die kunnen onstaan bij bepaalde tekorten.

Gebrek aan	Verschijnselen	Te vinden in
eiwit	Slechte vacht, haaruitval, longontsteking, onvruchtbaarheid en slechte groei van jonge dieren, oedemen	Erwten, bonen, soja, kaas
vitamine A	Huidslijmvlies- en oogbeschadigingen, groeistoornissen. diarree en algemene infectiegevoeligheid	Wortelen, eigeel, vers groenvoer bananen en ander fruit, kaas
vitamine B-complex	Haaruitval, verminderde vruchtbaarheid, gewichtsverlies bloedarmoede, infecties	Havervlokken, groenvoer, fruit, klaver, hondenbrokken, granen
vitamine C	Slechte groei, verstoring van het immuunsysteem, inwendige bloedingen, verlammingen, scheurbuik, vermonderde vruchtbaarheid	Groenvoer, fruit
vitamine D	Groeistoornissen, verzwakte beenderen. Te veel vitamine D zorgt voor botontkalking en kalkafzetting in bloedvaten	Melkproducten, eigeel
vitamine E	spierontsteking, zenuwproblemen, verlammingen en beroerten	Eigeel, gekiemde granen, groenten
vitamine K	(Neus-)bloedingen, slechte genezing van verwondingen en groeistoornissen Wordt normaliter in de darmen aangemaakt	Groenvoer
calcium	Verlammingen, botontkalking en het afbreken van tanden	Mineralenprep., melkproducten, sepia, veelzijdige voeding
kalium	Gewichtsverlies, hartproblemen en ascites (vocht in de vrije buikholte)	Fruit
natrium	Kan alleen optreden bij zeer ernstige diarree	Kaas, veelzijdige voeding
magnesium	Onrust, prikkelbaarheid, krampen, diarree en haaruitval	Groenvoer, graan
ijzer	Bloedarmoede, maagdarmstoornissen en onvruchtbaarheid	Groenvoer, graan,
jodium	Stofwisselingsstoornissen en schildklierafwijkingen	Groenvoer, graan, water

De cavia's van Animal Prints. In de dierenspeciaalzaak vindt u onder meer mokken, kussens, T-shirts en sweaters met deze en andere illustraties

Ouderdom

Het is natuurlijk ideaal als uw huisdier zonder ziekten en kwalen ouder wordt. Helaas worden cavia's bij lange na niet zo oud als mensen. U moet er dus rekening mee houden dat u na een paar jaar een bejaarde cavia zult moeten verzorgen. Zo'n cavia zal langzaam maar zeker wat rustiger worden en grijze plekken in zijn pels krijgen.

Met een dier op leeftijd moet u op gepaste wijze omgaan. De tijd van wilde spelletjes is voorbij, daar heeft hij geen zin meer in. Laat de cavia zoveel mogelijk met rust. In de laatste weken en dagen van zijn leven ziet u de pels achteruit gaan en wordt het diertje magerder. Dring niet aan als hij niet meer wil eten: het einde zal nu meestal niet meer lang op zich laten wachten. Cavia's worden gemiddeld zo'n vijf jaar oud. Een cavia van zeven jaar is hoogbejaard. In uitzonderlijke gevallen kunnen ze wel acht jaar oud worden.

Adressen

Nederlandse Caviafokkers Club
Wilhelminastraat 15
5388 EP Nistelrode

Nederlandse Konijnenfokkers Bond (NKB)
Secretaris: F.H. Rompelberg
Iepenlaan 51.
6241 AC Bunde

Cavia Club België
Bevrijdingsstraat 20
2960 Sint Lenraarts

Dierenkliniek Bilthoven
Schubertlaan 17
2737 LM Bilthoven
030-2691626 (na 18.00 uur)
(Alleen voor vogels, reptielen, knaagdieren, exotische dieren en konijnen.
Behandeling uitsluitend na verwijzing door een dierenarts.)

Gebruikte Literatuur

Berghoff C., Kleine Heimtiere und ihre Erkrankungen.

Bielfeld Horst, Cavia's.

Day Isabel, Cavia's en hun verzorging.

De Cavia van voeding tot therapie, Archaeopteryx.

Dekker, R. en Vermeulen-Slik, A. 1995, De cavia en cavia-achtigen als gezelschapsdier, Etiko uitgevers Nieuweschans.

Evans Mark, 1988, Guinea Pigs, Dorling Kindersley Londen.

Grzimek H.C.B., 1973, Het leven der dieren. Deel XI Uitgeverij Het Spectrum BV, Utrecht, Antwerpen.

Het boek der pelsdieren, uitgave NKB.

Husson A.M., 1978, The mammals of Suriname. Rijksmuseum van Natuurlijke Historie Leiden.

Hutchinson Patricia, Cavia's.

Lommers Henk, 1992, EHBO bij honden, katten, knaagdieren en vogels. Etiko uitgevers Lisse.

Mark van den R.R.P., 1968, Cavia's als liefhebberij. Thieme Zutphen.

Mosesson, Gloria R. and Scher Shaldon. Breeding Labaratory Animals.

Richardson V.C.G., Diseases of Domestic Guinea Pigs.

Standaard van de Nederlandse Konijnenfokkersbond.

Steinkamp Anja J., 1986, Onze Cavia/Unser Meerschweinchen. W. Keller & Co Stuttgart.

Turner Isabel, Exhibition and Pet Cavies.

Vriends-Parent L., 1984, Houden van Cavia's. Teleboek BV Amsterdam.

Whitfield Dr. Philip, 1984, Encyclopedie van het dierenrijk. Aroepagus

De cavia

Naam:	Cavia
Latijnse naam:	Cavia aperea porcellus
Herkomst:	Grote delen van Zuid-Amerika
Mannetje:	Beer
Vrouwtje:	Zeug
Lichaamslengte:	24-30 cm
Gewicht:	beer: 1100-1800 gram, zeug: 800-1500 gram
Aantal tepels:	2
Hartslag:	230-370/minuut
Ademhalingsfrequentie:	100-150/minuut
Lichaamstemperatuur:	37,5-39,5 graden
Fokrijp:	beer: 3 maanden, zeug: 5 maanden
Bronstcyclus:	16 dagen
Lengte bronst:	20-24 uur
Draagtijd:	65-70 dagen
Aantal jongen:	2-5
Geboortegewicht:	50-145 gram
Zoogtijd:	4 weken
Gemiddelde leeftijd:	5-7 jaar (max. 8)